Pour Neal et Jennifer qui écoutent toutes nos histoires

Texte traduit de l'américain par Élisabeth Duval

Titre de l'ouvrage original : BEAR HAS A STORY TO TELL
Éditeur original : A Neal Porter Book, Roaring Brook Press,
A Division of Holtzbrinck Publishing Holdings Limited Partnership
Text copyright © 2012 by Philip C. Stead
Illustrations copyright © 2012 by Erin E. Stead
Tous droits réservés
Pour la traduction française : © Kaléidoscope 2012
11, rue de Sèvres, 75006 Paris
Loi n° 49.956 du 16 juillet 1949 sur les publications
destinées à la jeunesse : septembre 2012
Dépôt légal : décembre 2012
ISBN 978-2-877-67751-6
Imprimé en Italie

Diffusion l'école des loisirs

www.editions-kaleidoscope.com

Ours a une histoire à raconter

Texte de **Philip C. Stead** - Illustrations d'**Erin E. Stead**

kaléidoscope

L'hiver est presque là et Ours a envie de dormir.

Mais d'abord, il a une histoire à raconter.

"Souris, veux-tu que je te raconte une histoire ?" demande-t-il à Souris en bâillant. "Excuse-moi, Ours, dit Souris, mais l'hiver est presque là et j'ai beaucoup de graines à ramasser."

Ours aide Souris à trouver des graines parmi les feuilles mortes.

Quand ils ont terminé, Souris dit : "À bientôt !"
et elle se faufile dans une galerie sous la terre
pour attendre le printemps.

Ours s'enfonce dans la forêt, sa démarche est lente et engourdie.
Les feuilles qui tapissent le sol craquent sous ses pas.

"Bonjour, Canard", dit Ours et il s'assied pour reposer ses pattes fatiguées.
"Veux-tu que je te raconte une histoire ?"
"Excuse-moi, Ours, dit Canard, mais l'hiver est presque là et je suis sur le point
de m'envoler vers le sud."

"Tu me manqueras, Canard", dit Ours.
Il lève une patte pour vérifier d'où vient le vent.

"Toi aussi tu me manqueras", dit Canard
en s'envolant.

Le soleil est bas et lourd dans le ciel, comme assoupi. Les paupières d'Ours sont lourdes, elles aussi. Il compte les couleurs pour rester éveillé.
"Trois nuages roses, deux feuilles rouges, une…"

"Grenouille ! Bonjour !" dit Ours. "Veux-tu que je te raconte une histoire ?"
"Excuse-moi, Ours, dit Grenouille, mais l'hiver est presque là et je dois chercher
un endroit bien au chaud pour dormir."

Entre deux pins, Ours creuse un trou de la taille d'une grenouille et Grenouille s'y blottit.
Ensuite il la recouvre de feuilles et d'aiguilles de pin.
"Merci, Ours, dit Grenouille. Nous nous reverrons au printemps."

Ours s'adosse au vieux chêne. Il s'étire, il bâille et il se gratte le ventre.
"Je me demande si Taupe est réveillée", murmure-t-il.

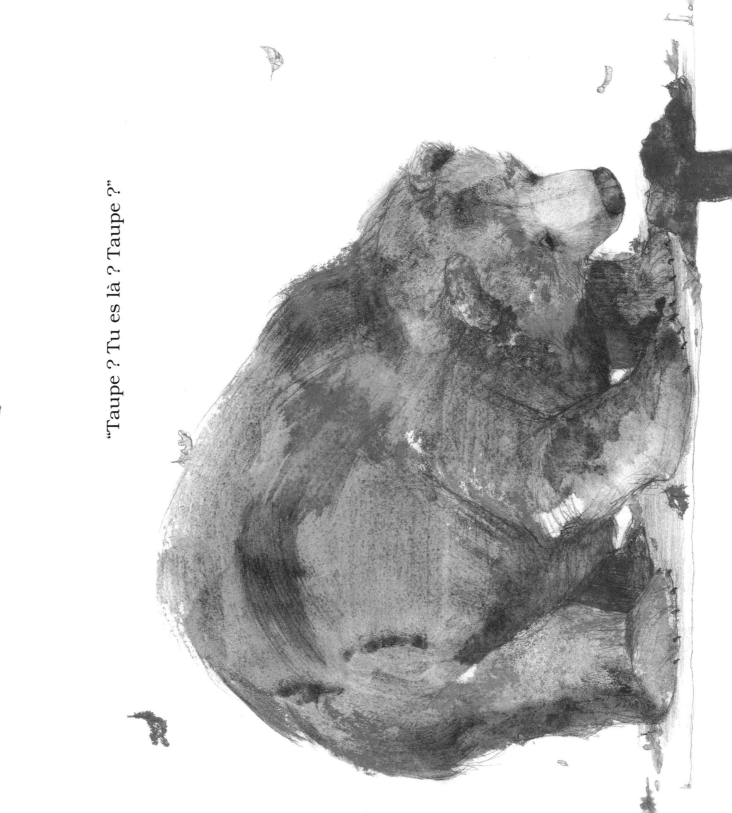

"Taupe ? Tu es là ? Taupe ?"

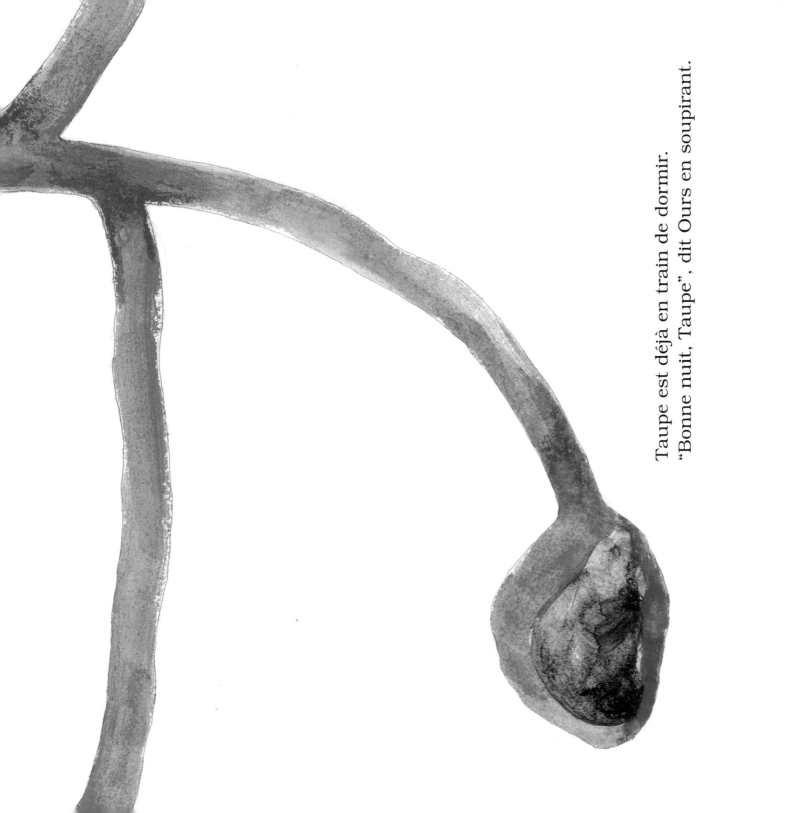

Taupe est déjà en train de dormir.
"Bonne nuit, Taupe", dit Ours en soupirant.

Les premiers flocons de neige de l'hiver se mettent à tomber...

Plusieurs mois ont passé et le soleil est revenu. Il fait fondre la neige et réveille les arbres. Ours se roule dans l'herbe verte.
"C'est le printemps ! s'écrie-t-il. Maintenant, je peux raconter mon histoire !"

Mais d'abord, Ours apporte un gland à Souris.
"Merci, Ours !" dit Souris. Elle a faim après ce long hiver.

"Je suis heureux que tu sois de retour, Canard, dit Ours.
Le voyage a dû te fatiguer."
Ours montre à Canard la petite mare ombragée qu'il lui a trouvée.

Ours installe Grenouille au soleil pour qu'elle se réchauffe et se réveille.
Grenouille ouvre un œil, puis l'autre.
"Bonjour", dit Ours.

Ours, Souris, Canard et Grenouille passent la journée à attendre
que Taupe se réveille.
Taupe finit par pointer le bout de son museau.
"Taupe, s'écrie Ours, veux-tu que je te raconte une histoire ?"

Ours réunit ses amis. Il s'assied bien droit, se racle la gorge,
gonfle sa poitrine et devant ses amis tout ouïe…

Ours ne se souvient plus de son histoire. "C'était pourtant une bonne histoire ! dit Ours en baissant la tête, mais ce long hiver l'a effacée de ma mémoire."

Ses amis gardent le silence.

Puis Souris dit : "Peut-être que ton histoire parle d'un ours."
Et Canard poursuit : "Peut-être qu'elle se passe juste
avant l'hiver, quand tout le monde s'affaire."
"Je trouve qu'il devrait y avoir d'autres personnages",
suggère Grenouille.
"Une taupe, par exemple, propose Taupe.
Et une souris et un canard et une grenouille !"

Ours se redresse. Il se racle la gorge, gonfle sa poitrine
et commence son histoire par...

"L'hiver est presque là et Ours a envie de dormir."